NUMBERS

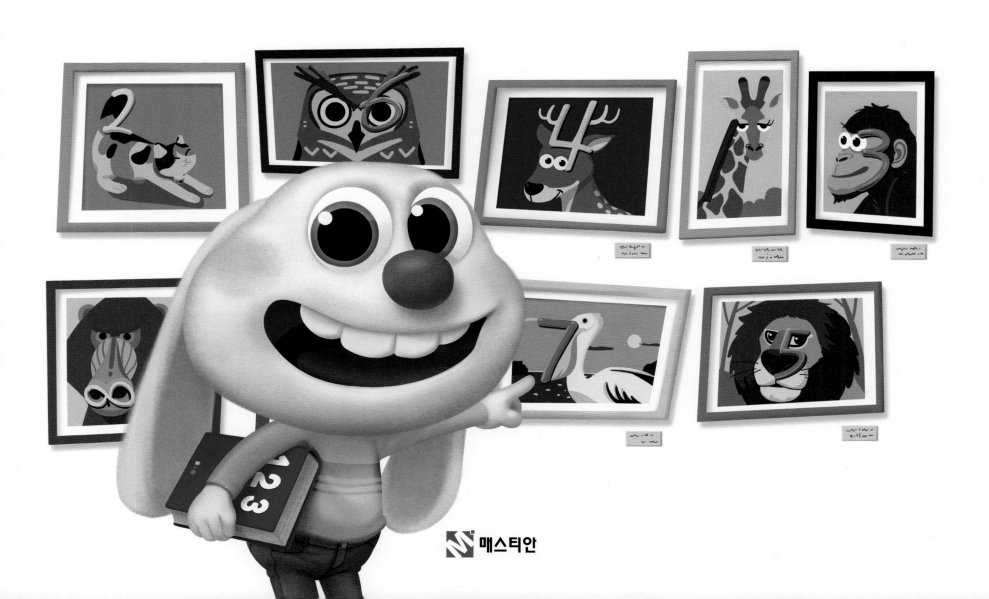

매스티안

팩토슐레 Math Lv. 2 교재 소개

" 우리 아이 첫 수학도 창의력을 키우는 FACTO와 함께! "

- **팩토슐레**는 처음 수학을 시작하는 유아를 위한 창의사고력 전문 프로그램입니다.

- **팩토슐레**는 만들기, 게임, 색칠하기, 붙임딱지 붙이기 등의 다양한 수학 활동을 하면서 스스로 수학 개념을 알 수 있도록 구성하였습니다.

※ 팩토슐레는 6권으로 구성되어 있으며, 각 권에는 30가지의 재미있는 활동이 수록되어 있습니다.

누리과정

팩토슐레는 누리과정 · 초등수학과정을 연계하여 수학의 5대 영역 (수와 연산, 공간과 도형, 측정, 규칙, 문제해결력)을 균형 있게 학습할 수 있도록 하였습니다.
특히 가장 중요한 수와 연산은 각 권으로 구성하여 깊이 있는 학습이 가능하도록 하였습니다.

STEAM PLAY MATH

팩토슐레는 4, 5, 6세 연령별로 학습할 수 있도록 설계한 놀이 수학입니다.
매일매일 놀이하듯 자르고, 붙이고, 색칠하는 30가지의 재미있는 활동을 통해 창의사고력을 기를 수 있습니다.

동화책풍의 친근한 그림

팩토슐레는 동화책풍의 그림들을 수록하여 아이들이 수학을 더욱 친근하게 느끼며 좋아할 수 있도록 하였습니다. 또한 한글을 최소화하고 학습 내용을 직관적으로 이해할 수 있도록 하였습니다.

팩토슐레 Math Lv. ❷ 교구·App 소개

" 수학 교육 분야 증강현실(AR)과 사물인식(OR) 기술을 국내 최초 도입 "

교구를 활용한 App 학습 프로세스

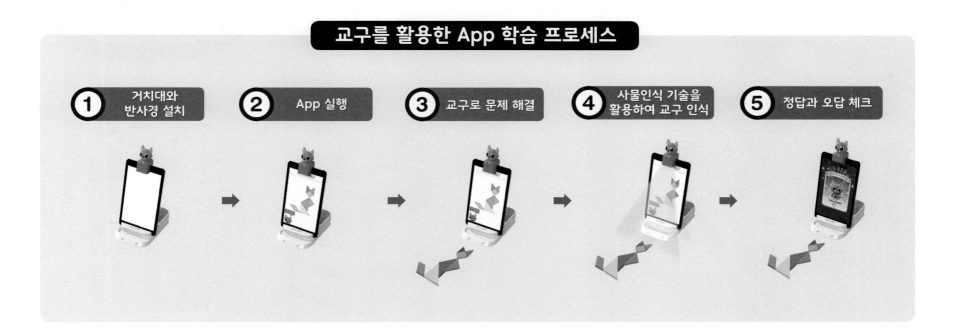

① 거치대와 반사경 설치   ② App 실행   ③ 교구로 문제 해결   ④ 사물인식 기술을 활용하여 교구 인식   ⑤ 정답과 오답 체크

자기주도학습 팩토슐레 App만의 장점

팩토슐레 App은 사물인식(OR) 기술을 사용하여 아이들의 학습 정보를 습득한 후, App에 프로그래밍된 학습도우미를 통하여 아이들이 문제 푸는 것을 힘들어하거나 틀릴 경우에는 힌트를 제공합니다.
이와 같은 방식의 스마트기기와의 상호작용은 학습의 효율을 높이고 자기주도학습 능력을 길러 줍니다.

완벽한 학습 설계 App 다른 교육 App과의 차별점

팩토슐레 App은 수학 교육 목표에 맞게 완벽한 학습 설계가 되어 있습니다. 아이들은 게임 기반의 학습 App을 진행하면서 어려운 문제도 술술 풀 수 있습니다.

증강현실(AR) 기술 도입

팩토슐레 App은 아이들이 캐릭터와 사진도 찍고, 자신이 그린 그림으로 자기만의 쿠키도 만들면서 학습 몰입도를 높일 수 있습니다.

친구가 엄마, 아빠와 함께 눈사람에 여러 가지 장식을 붙이고 있어요. 눈사람의 모자에 **쓰여 있는** 수에 알맞은 붙임딱지를 붙이고, 그 수를 읽어 보세요. 붙임딱지 ①

일, 하나

이, 둘

붙임딱지 붙이는 곳

삼, 셋

사, 넷

오, 다섯

친구들이 커다란 바람개비가 돌고 있는 공원에 놀러 왔어요. 바람개비에 **쓰여** 있는 수에 알맞은 붙임딱지를 붙이고, 그 수를 읽어 보세요. 붙임딱지 ①

7

붙임딱지 붙이는 곳

붙임딱지 붙이는 곳

붙임딱지 붙이는 곳

칠, 일곱

6

붙임딱지 붙이는 곳

붙임딱지 붙이는 곳

붙임딱지 붙이는 곳

육, 여섯

8

붙임딱지
붙이는 곳

붙임딱지
붙이는 곳

붙임딱지
붙이는 곳

팔, 여덟

9

붙임딱지
붙이는 곳

붙임딱지
붙이는 곳

붙임딱지
붙이는 곳

구, 아홉

10

붙임딱지
붙이는 곳

붙임딱지
붙이는 곳

붙임딱지
붙이는 곳

십, 열

친구들이 **같은 수 찾기** 놀이를 하고 있네요. 같은 수를 나타내는 카드끼리 선으로 연결해 보세요.

❶ 다음과 같이 카드 20장을 준비합니다.

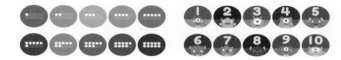

❷ 카드를 잘 섞어 7장을 뒤집어 바닥에 놓고, 남은 카드는 한쪽에 쌓아 놓습니다.

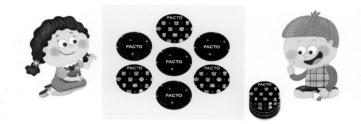

❸ 가위바위보를 하여 진 사람이 먼저 2장의 카드를 뒤집습니다.

경우 1 같은 수의 카드이면 카드 2장을 가져가고, 새로운 카드 2장을 뒤집어 놓습니다.

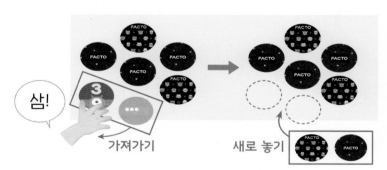

삼!

가져가기   새로 놓기

경우 2 다른 수의 카드이면 그 자리에 다시 뒤집어 놓습니다.

다시 뒤집어 놓기

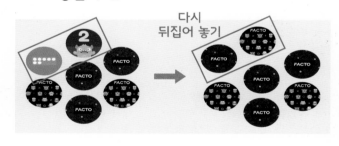

❹ 번갈아 가며 게임을 하여 카드가 모두 없어지면 게임이 끝납니다. 이때 카드를 더 많이 모은 사람이 이깁니다.

이겼다!

❺ 아이의 수준에 따라 펼쳐 놓는 카드의 수를 늘려서 게임을 할 수 있습니다.

<8장>   <9장>

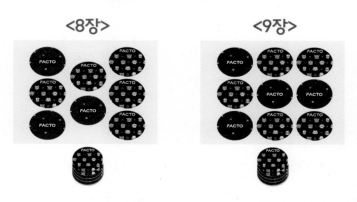

친구의 생일 축하 파티가 열리고 있어요. **각각의 그림이 몇 개**씩 있는지 세어 보고 알맞은 수를 써 보세요.

친구들이 인디언 복장을 하고 춤을 추며 놀고 있어요. 인디언 집에 쓰여 있는 **수의 순서**에 맞게 빈 곳에 알맞은 수를 써 보세요.

Let's study!

❶ 엄마가 먼저 노래를 부르고 아이가 따라 부르게 합니다.

❷ 아이는 노래를 부르며 가사에 맞게 빈 곳에 알맞은 수를 써 봅니다.

미국 민요

1부터 10까지의 수를 순서대로 소리 내어 암송하며 빠진 수를 찾을 수 있도록 합니다.

06 친구가 아빠와 함께 정글을 탐험하다 많은 동물들을 만났어요. 같은 색 점에 쓰여 있는
1부터 10까지의 **수를 순서대로 이어서** 어떤 동물을 만났는지 알아보세요.

친구들이 미로 정원에 놀러 갔어요. **1부터 수를 순서대로 지나** 미로를 빠져나가는 방법을 찾아보세요.

팩토 미로 정원

미로 1 (위):

5	4	5	8	9	10
2	3	7	7	8	10
1	4	5	6	9	10
2	5	6	7	9	10

미로 2 (아래):

2	3	4	7	9	10
1	2	5	6	9	10
4	3	4	9	8	10
5	6	5	6	7	8

친구들이 블록을 이용하여 멋진 작품을 만들었어요. 블록에는 **1**부터 **10**까지의 수가 쓰여 있어요. 비어 있는 블록에 알맞은 수를 써 보세요.

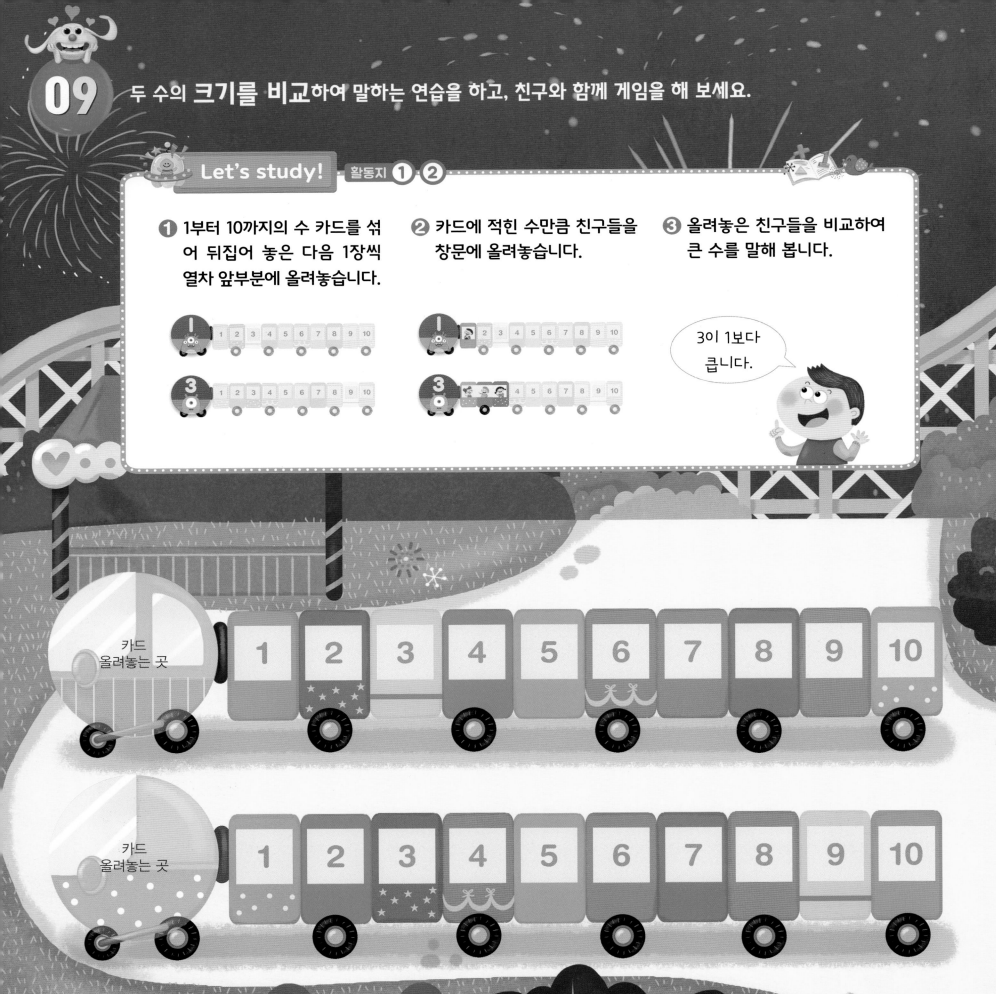

09 두 수의 **크기**를 **비교**하여 말하는 연습을 하고, 친구와 함께 게임을 해 보세요.

Let's study! · 활동지 ❶·❷

❶ 1부터 10까지의 수 카드를 섞어 뒤집어 놓은 다음 1장씩 열차 앞부분에 올려놓습니다.

❷ 카드에 적힌 수만큼 친구들을 창문에 올려놓습니다.

❸ 올려놓은 친구들을 비교하여 큰 수를 말해 봅니다.

3이 1보다 큽니다.

카드 올려놓는 곳 | 1 | 2 | 3 | 4 | 5 | 6 | 7 | 8 | 9 | 10

카드 올려놓는 곳 | 1 | 2 | 3 | 4 | 5 | 6 | 7 | 8 | 9 | 10

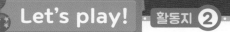

❶ 1부터 10까지의 수 카드를 5장씩 나누어 가집니다.

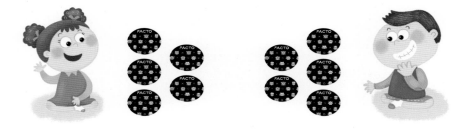

❷ 각자의 카드를 확인하고 1장을 꺼내어 뒤집어 놓습니다.

❸ 가위바위보를 하여 이긴 사람이 자신이 낸 카드에 유리하게 "큰 수" 또는 "작은 수"를 외칩니다.

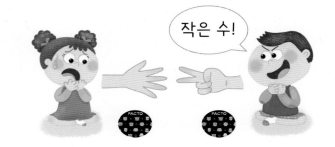

작은 수!

❹ 카드를 펼쳐 놓은 후 외친 말에 해당하는 카드를 낸 사람이 2장의 카드를 가져갑니다.

1이 8보다 작아!

❺ 각자 가지고 있던 카드가 모두 없어지면 게임이 끝납니다. 이때 카드를 더 많이 모은 사람이 이깁니다.

엄마는 선생님!
열차를 이용하여 수를 나타내고 열차에 탄 친구들의 수가 많고 적음으로 두 수의 크기를 비교할 수 있도록 합니다.

10 더운 여름날이에요. 가족들이 할머니를 도와 여러 가지 과일을 따서 상자에 담으려고 해요.
과일의 **개수를 세어** 수를 붙이고, 읽어 보세요. 붙임딱지 ❶

오렌지

오렌지

10
십

3 →
삼

붙임딱지
붙이는 곳

복숭아

복숭아

10
십

4 →
사

붙임딱지
붙이는 곳

자두

자두

10
십

5 →
오

붙임딱지
붙이는 곳

엄마는 선생님! 10 카드와 숫자 카드(1~9)로 10부터 15까지의 수를 만들면서 이 수들이 10과 몇으로 구성되어 있다는 것을 알 수 있도록 합니다.

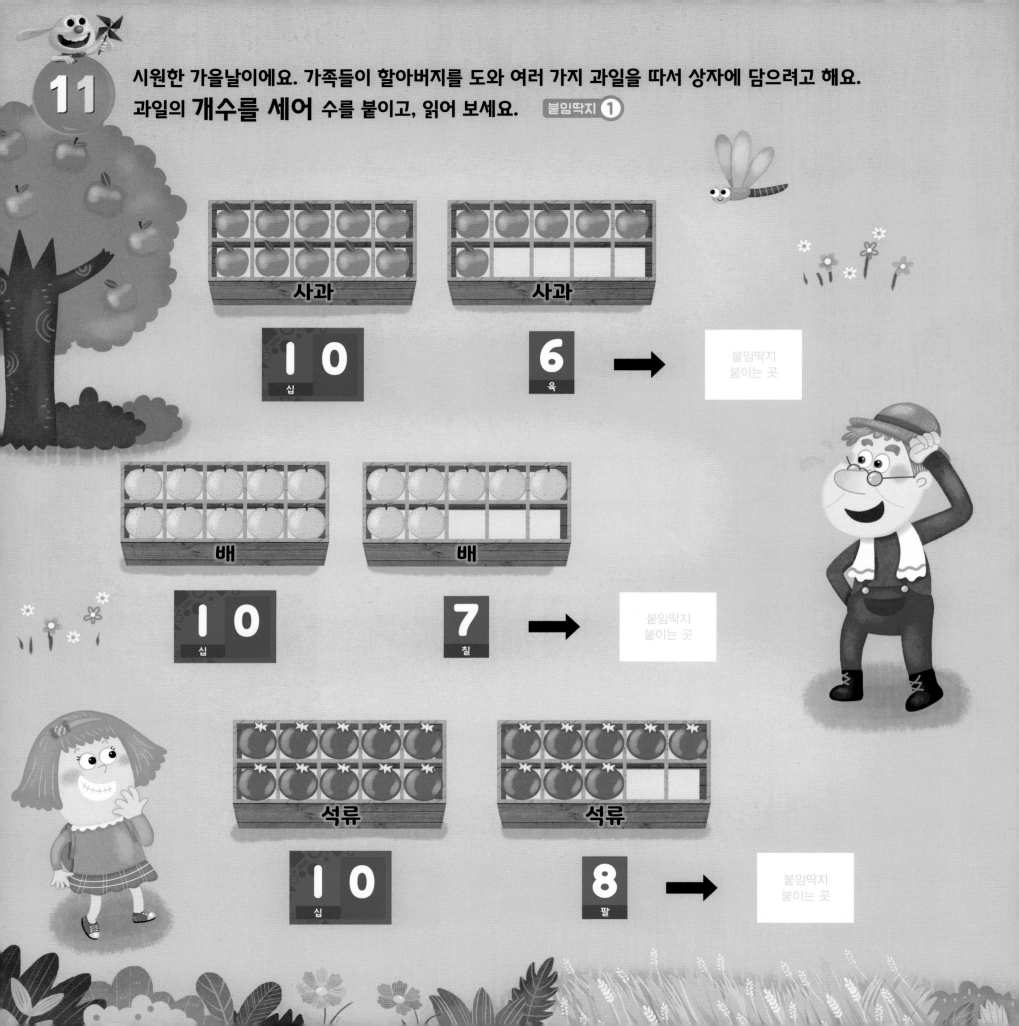

11 시원한 가을날이에요. 가족들이 할아버지를 도와 여러 가지 과일을 따서 상자에 담으려고 해요. 과일의 **개수를 세어** 수를 붙이고, 읽어 보세요. 붙임딱지 ①

사과

사과

1 0
십

6
육 → 붙임딱지 붙이는 곳

배

배

1 0
십

7
칠 → 붙임딱지 붙이는 곳

석류

석류

1 0
십

8
팔 → 붙임딱지 붙이는 곳

유자

유자

10
십

9
구
→

붙임딱지
붙이는 곳

감

감

2 0
이십

Let's study! 활동지 ③

❶ 10 카드를 가운데에 놓고
숫자 카드(1~9)는 아이
앞에 놓습니다.

❷ 아이는 숫자 카드 1장을
10 카드의 '0'이 보이지
않게 겹쳐서 내려놓습니다.

❸ 2장의 카드로 만들어진
수를 큰 소리로 읽습니다.

십육!

1 6
십 육

엄마는
선생님!
10 카드와 숫자 카드(1~9)로 16부터 19까지의 수를 만들면서 이 수들이 10과 몇으로 구성되어 있다는 것을 알 수 있도록 합니다.

12 친구들이 수 읽기 놀이를 하고 있어요. 벽에 적힌 **수를 순서대로** 읽고, 책꽂이의
책 순서대로 빈 곳에 알맞은 수를 써 보세요.

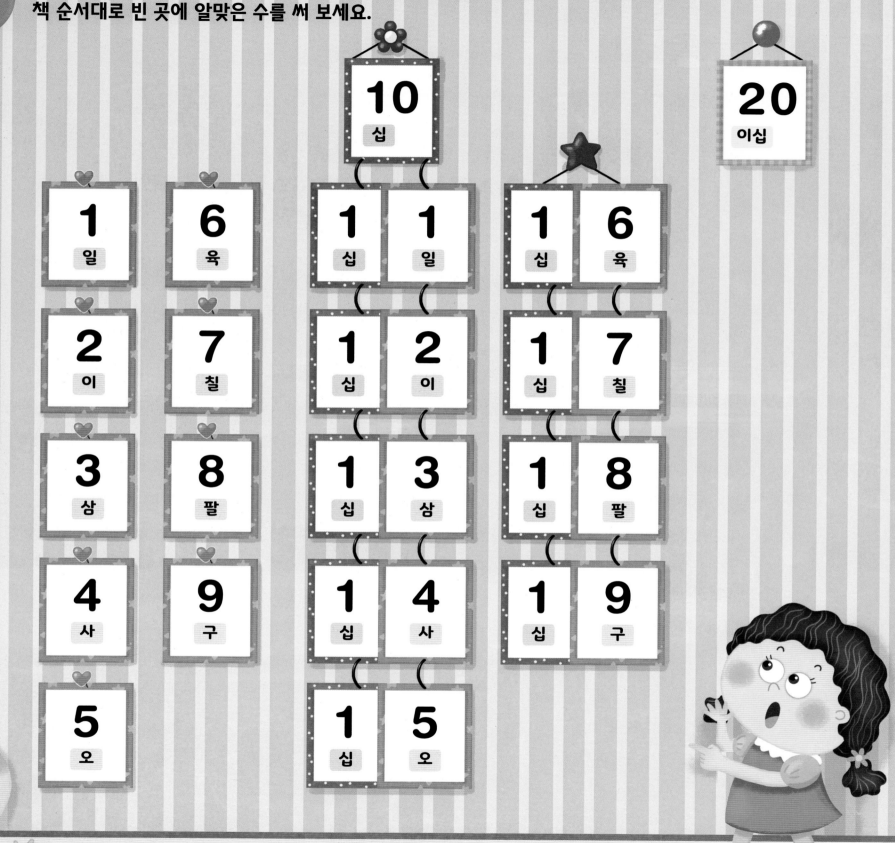

세계 명작 1 2 3 4 5 6 7 8 9 10

세계 명작 11 13 15 20

전래 동화 1 2 3 4 5

전래 동화 6 7 8 9 10

전래 동화 11 14

전래 동화 17 18

1부터 **20**까지의 수의 구성을 알고 **20**까지의 수를 읽을 수 있도록 합니다.

13

친구들이 살고 있는 마을이에요. 우리 주변에는 많은 수들이 있네요.
어떤 수들이 있는지 찾아보고 그 수를 읽어 보세요.

13가지 맛

펭귄 시계

11:14

15% 할인

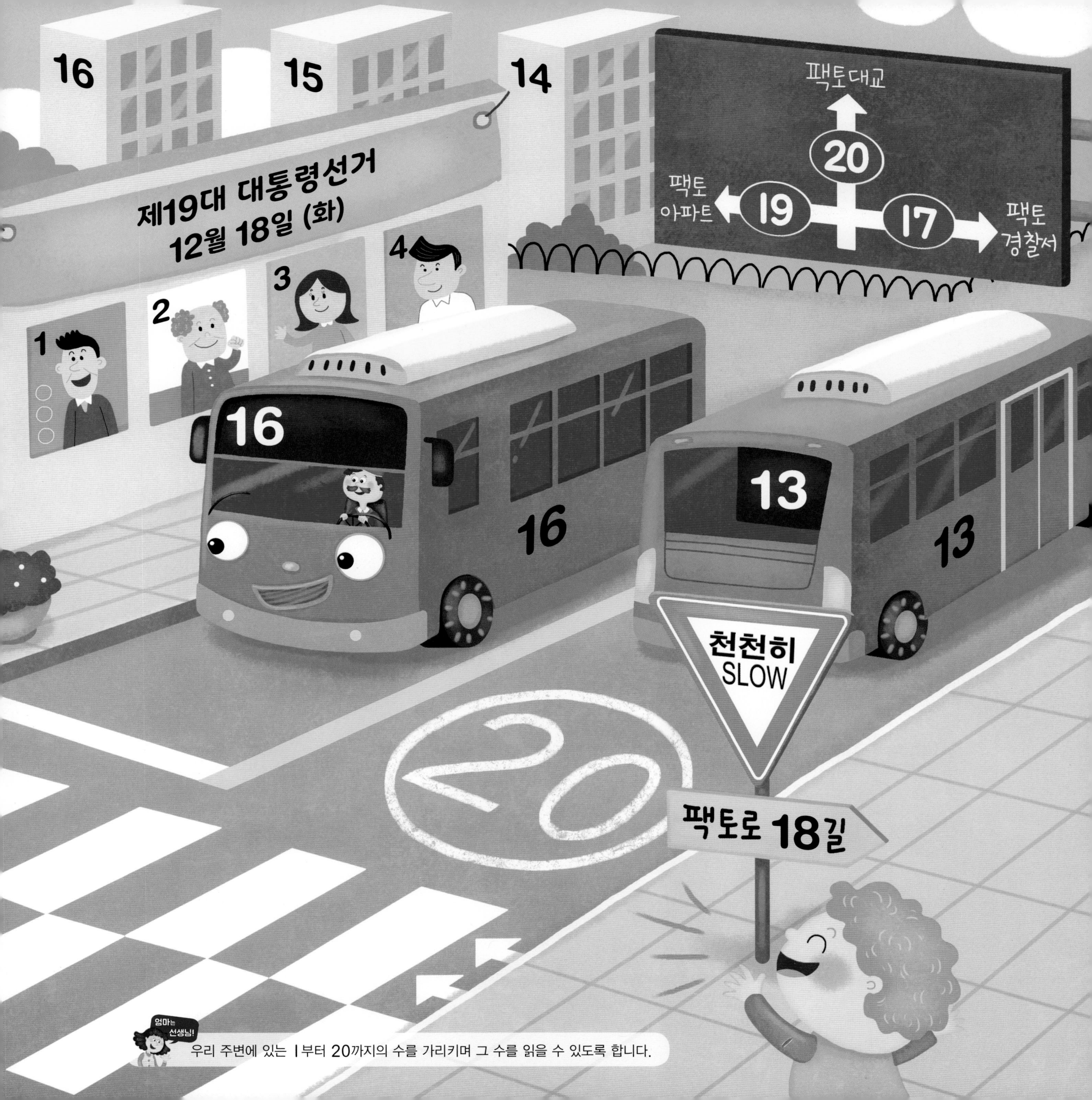

엄마는 선생님!

우리 주변에 있는 1부터 20까지의 수를 가리키며 그 수를 읽을 수 있도록 합니다.

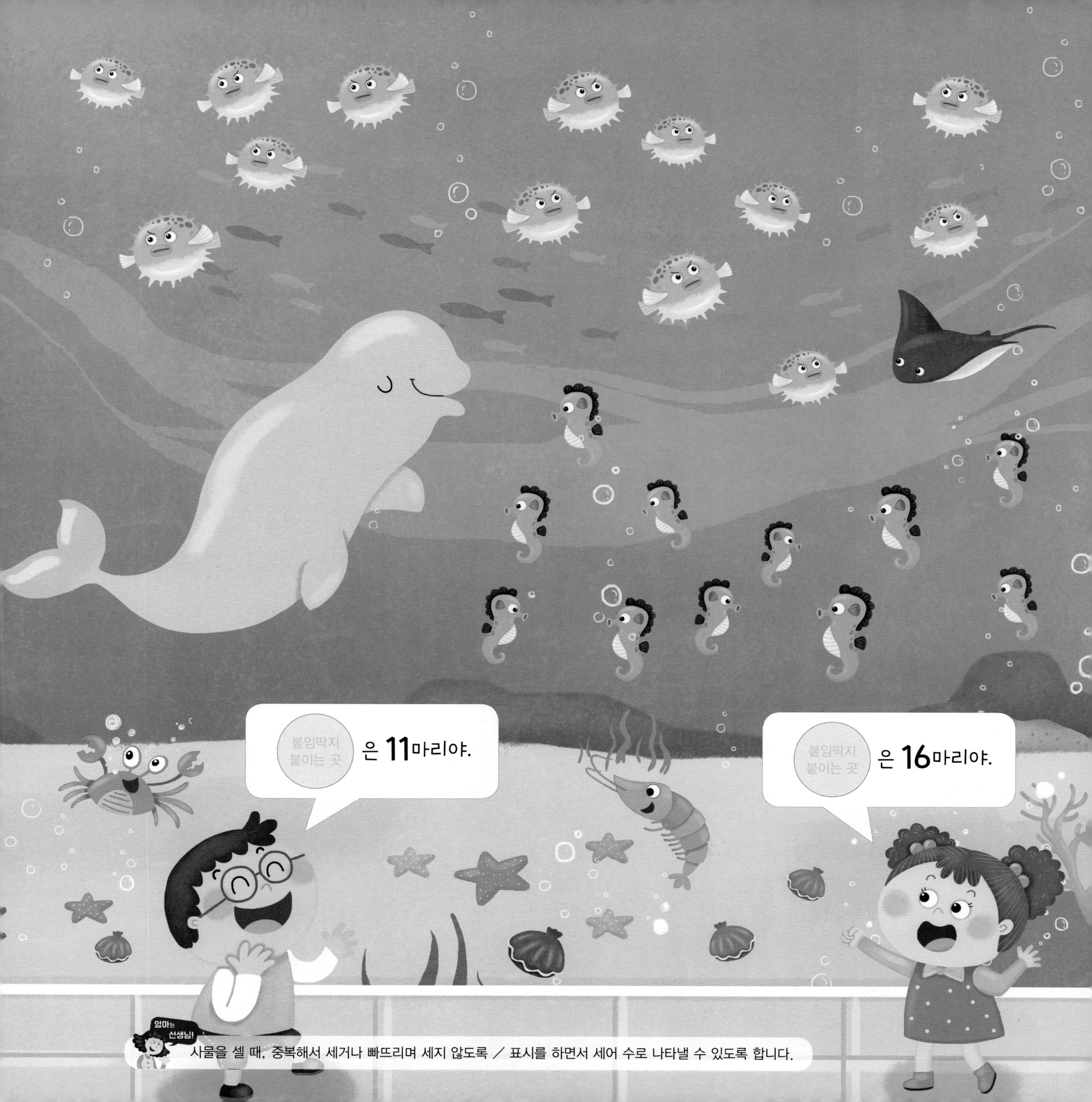

엄마는 선생님!

사물을 셀 때, 중복해서 세거나 빠뜨리며 세지 않도록 / 표시를 하면서 세어 수로 나타낼 수 있도록 합니다.

친구들이 주말농장에 갔어요. 잘 자란 채소를 먹을 생각을 하니 군침이 도네요.
밭에 있는 **채소가 각각 몇 개**인지 세어 보고 그 수를 써 보세요.

친구들이 방 안에 있는 물건을 정리하려고 해요. 각각의 **물건이 몇 개**씩 있는지 세어 보고
그 수를 써 보세요.

17

친구들이 농장에서 달걀을 상자에 담았어요. 각자 담은 **달걀의 개수**만큼 상자에 알맞게 달걀을 붙여 보세요. 활동지 3

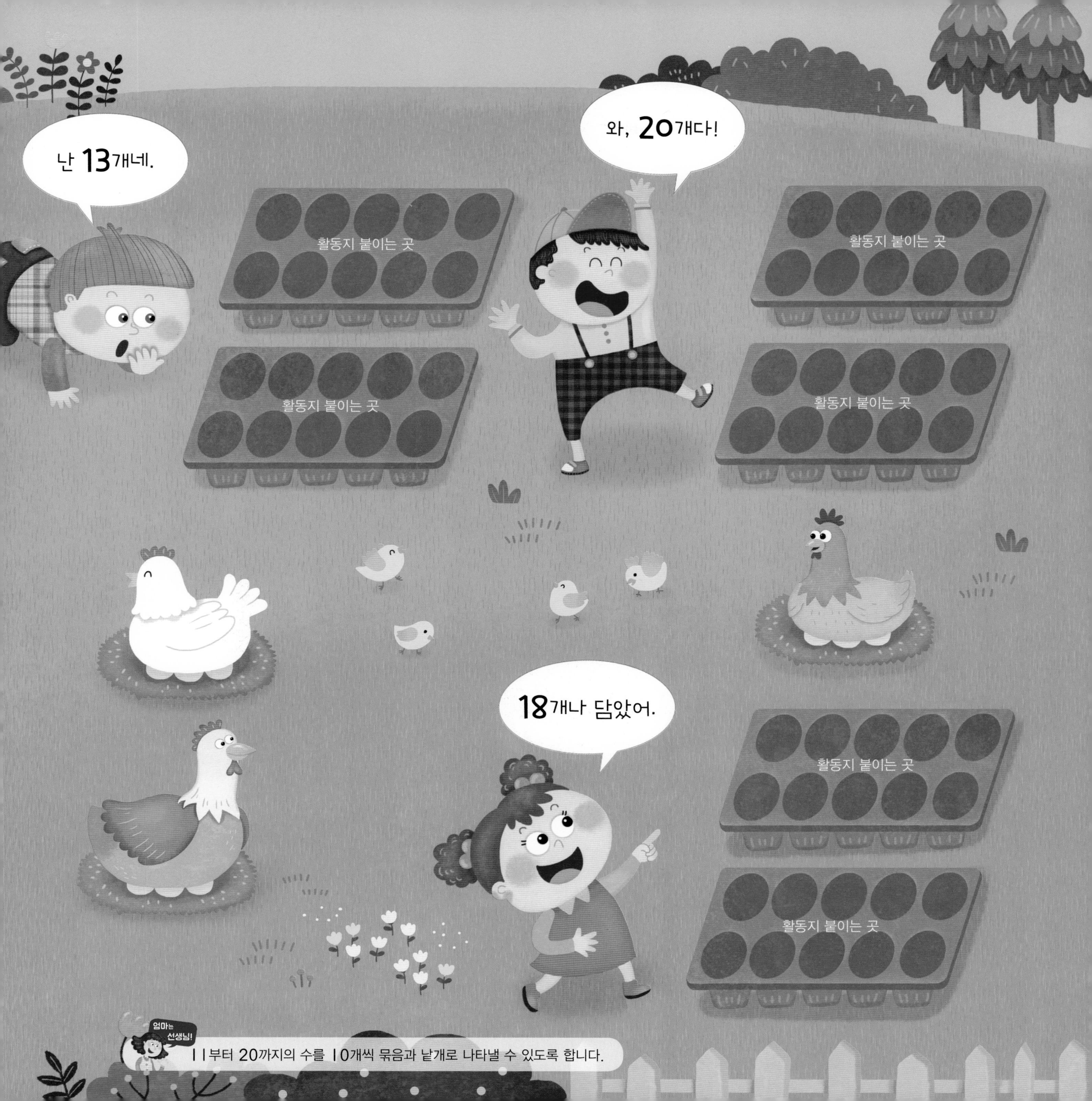

엄마는 선생님!

11부터 20까지의 수를 10개씩 묶음과 낱개로 나타낼 수 있도록 합니다.

18 친구들이 시장 놀이를 하고 있어요. 친구들이 사고 싶어 하는 **물건이 얼마**인지 읽어 보고, **동전을 붙여 보세요.** 붙임딱지 ①

붙임딱지 붙이는 곳

팩 토 시 장

11

붙임딱지 붙이는 곳

14

붙임딱지 붙이는 곳

17

붙임딱지 붙이는 곳

친구들이 **11**부터 **20**까지의 수가 쓰여 있는 카드를 가지고 놀이를 하고 있어요. 뒤집혀 있는 카드에 쓰여 있는 수를 찾아 알맞은 카드를 붙여 보세요. 활동지 **4**

❶ 11부터 20까지의 수 카드를 준비한 후 가위바위보를 합니다.

❷ 이긴 사람이 10장의 카드를 섞어서 수가 보이지 않도록 손에 모아 놓습니다.

❸ 1장의 카드를 바닥에 뒤집어 놓은 후 나머지 카드는 수가 보이도록 빠르게 펼쳐 놓습니다.

❹ 뒤집힌 카드의 수를 찾은 사람은 "팩토"라고 외칩니다. 만약 틀린 경우 상대편에게 차례가 돌아갑니다.

팩토! 19

❺ 뒤집힌 카드의 수를 맞힌 사람이 이깁니다.

이겼다!

20 친구들이 퍼즐을 맞추고 있어요. 퍼즐 판에 그려진 점의 개수와 같은 수가 적힌 활동지를 붙여 퍼즐을 완성하고, 완성된 퍼즐에 **숨겨져 있는** 수를 찾아 읽어 보세요. 활동지 ④ ⑤

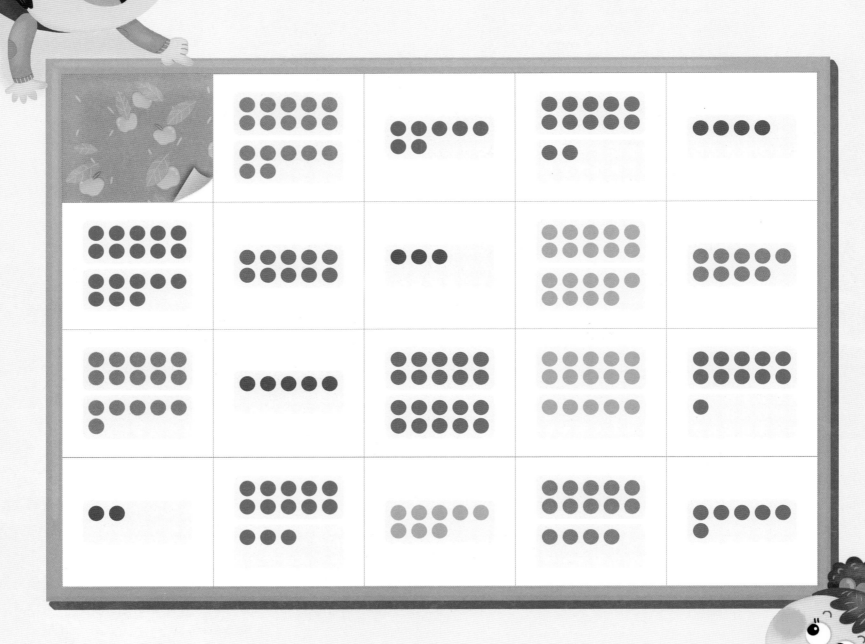

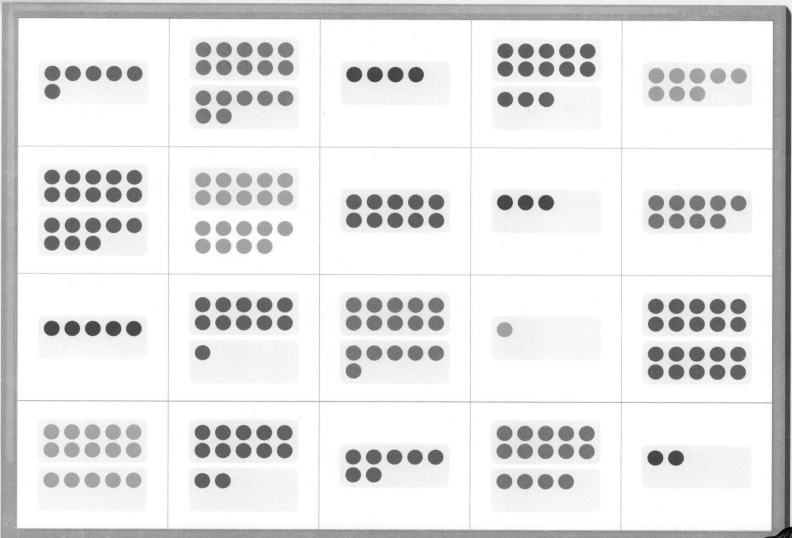

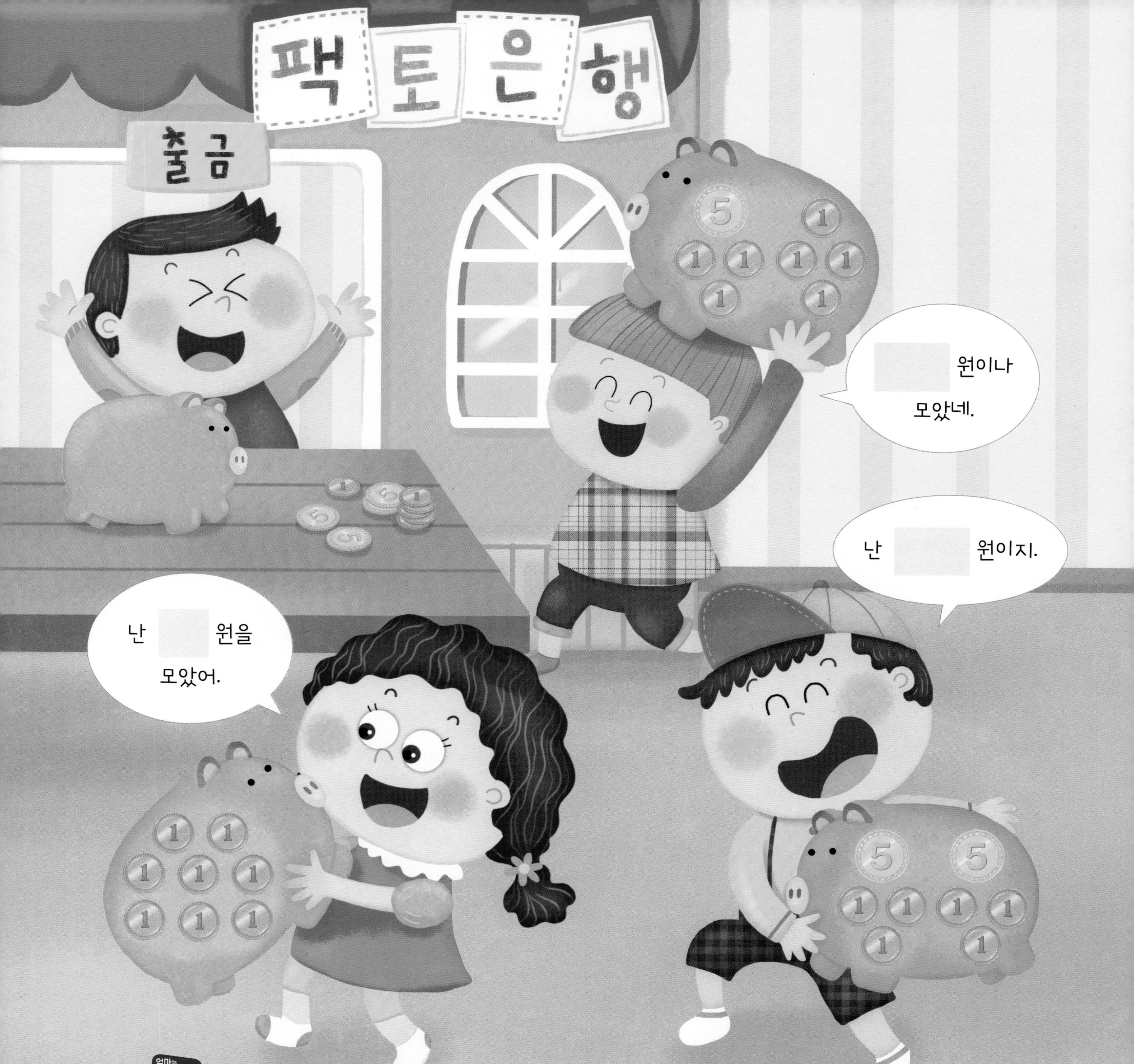

엄마는 선생님!

(1) 5개는 (5) 1개와 같고, (5) 2개는 (10) 1개와 같다는 것을 알 수 있도록 합니다.

22 친구들이 사는 마을에서 집을 짓기 위해 공사를 하고 있어요. 1부터 20까지의 **수를** 순서대로 **이어서** 어떤 자동차들이 있는지 알아보세요.

선을 그어 그림을 완성할 때 1부터 20까지의 수를 순서대로 소리 내어 암송할 수 있도록 합니다.

친구들이 엘리베이터를 타고 집으로 올라가려고 해요. 엘리베이터의 빈 버튼에 순서에 맞게 알맞은 수를 써넣으세요.

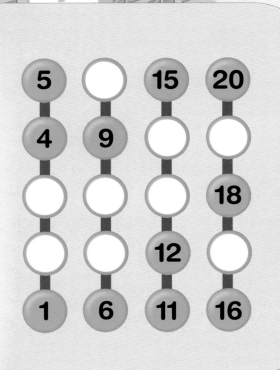

친구들이 1부터 20까지의 수가 쓰여 있는 구슬 중 하나를 뽑았네요. 친구들이 뽑은 구슬에 알맞은 수를 써 보세요.

Let's study! 활동지 **3**

❶ 가위바위보를 해서 이긴 사람이 활동지를 놓습니다.

❷ 진 사람은 **?** 에 들어갈 수를 예상하여 말합니다.

❸ 예상한 수가 맞는지 확인합니다.

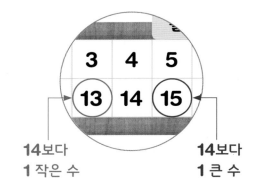

14보다
1 작은 수

14보다
1 큰 수

활동판

1	2	3	4	5	6	7	8	9	10
11	12	13	14	15	16	17	18	19	20

26 두 수의 **크기를 비교**하여 말하는 연습을 하고, 친구들이 들고 있는 2개의 물건 중
값이 더 싼 물건을 찾아 ○표 해 보세요.

Let's study! 활동지 ❷

❶ 1부터 20까지의 카드를 섞은 다음 1장씩 모니터 위에 올려 놓습니다.

❷ 카드에 적힌 수만큼 동전들을 계산대에 올려놓습니다.

❸ 올려놓은 동전들을 비교하여 작은 수를 말해 봅니다.

5가 10보다 작습니다.

카드 올려놓는 곳

카드 올려놓는 곳

친구가 **큰 수가** 쓰여진 길을 따라 할머니 집을 찾아가려고 해요. 할머니 집까지 가는 길을 표시해 보세요.

❶ 수 카드 20장과 주사위를 준비합니다.

❷ 카드를 잘 섞어서 각자 2장씩 나누어 가진 후, 남은 카드는 쌓아 놓습니다.

❸ 상대편이 보지 못하게 자신의 카드의 수를 확인한 후 주사위를 굴립니다.

❹ 주사위에서 나온 조건에 맞는 카드 1장을 동시에 냅니다.

❺ 주사위 조건에 맞는 카드를 낸 사람이 2장의 카드를 가져갑니다.

4가 12보다 작아!

가져가기

❻ 더미에서 카드를 1장씩 가져가 서로의 카드가 2장이 되도록 합니다. ❸~❺의 방법으로 게임을 하여 카드가 모두 없어지면 게임이 끝납니다. 이때 카드를 더 많이 모은 사람이 이깁니다.

28

수 읽기를 하며 재미있는 **주사위 놀이**를 해 보세요.

Let's play!　활동지 ⑤

❶ 각자 게임 말을 정하여 출발 위치에 보물이 없는 면으로 올려놓습니다.

❷ 가위바위보로 순서를 정하고 번갈아 가며 주사위를 굴려서 나온 수만큼 게임 말을 움직입니다.

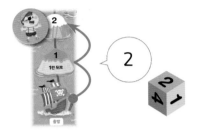

❸ 섬에 쓰여 있는 지시에 따라 게임 말을 움직입니다.

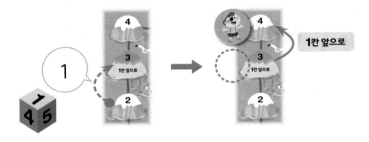

❹ 보물섬에 도착하면 게임 말을 뒤집어 보물을 가진 후, 출발 위치로 돌아갈 준비를 합니다.

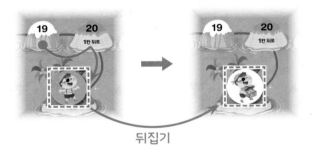

❺ 출발 위치로 돌아가다가 상대편의 게임 말과 같은 위치에 놓이면 게임 말을 뒤집어 다시 보물을 찾으러 가야 합니다.

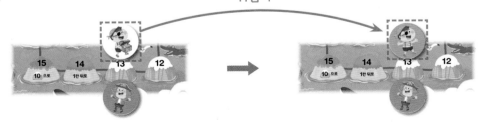

❻ 보물을 가지고 출발 위치로 먼저 돌아가는 사람이 이깁니다.

4

5

6
10 으로

7
3칸 앞으로

8
3칸 뒤로

3
1칸 앞으로

18
13 으로

19

20
1칸 뒤로

9
13 으로

2

17

10

1
1칸 뒤로

16
3칸 앞으로

11
2칸 앞으로

출발

15
10 으로

14
1칸 뒤로

13

12

주사위 놀이를 하며 1부터 20까지의 수의 순서와 크기를 익힐 수 있도록 합니다.

친구들이 아빠, 엄마와 함께 오래된 벽을 예쁘게 꾸미고 있어요. 종이에 쓰여 있는 **규칙에 맞게** 색칠하고 어떤 그림인지 알아보세요.

1 ~ 2:		11 ~ 14:	
3 ~ 6:		15 ~ 18:	
7 ~ 10:		19 ~ 20:	

그림에 주어진 수의 범위를 파악하고 규칙에 맞게 색칠할 수 있도록 합니다.

30 친구들이 활동한 사진들을 전시했어요. 활동지의 그림을 **작은 수부터 왼쪽**에 붙여 어떤 장면을 찍은 사진인지 알아보세요. 활동지 ❻

활동지 붙이는 곳

활동지 붙이는 곳

활동지 붙이는 곳

활동지 붙이는 곳

8

활동지 붙이는 곳

활동지 붙이는 곳

활동지 붙이는 곳

활동지 붙이는 곳

활동지 붙이는 곳

활동지 붙이는 곳　활동지 붙이는 곳　활동지 붙이는 곳　활동지 붙이는 곳　활동지 붙이는 곳　활동지 붙이는 곳　활동지 붙이는 곳　활동지 붙이는 곳　활동지 붙이는 곳

엄마는 선생님! 1부터 20까지의 수를 암송하며 작은 수부터 순서대로 그림을 나열할 수 있도록 합니다.

MEMO

| 10 | 8 | 12 | 11 | 9 |

| 1 | 5 | 9 | 3 | 7 |

| 18 | 14 | 17 | 15 | 20 | 13 | 16 | 12 | 19 |

10	**16**	**13**	**12**	**18**
3	**4**	**<u>9</u>**	**14**	**7**
2	**<u>6</u>**	**15**	**5**	**<u>8</u>**
17	**1**	**19**	**11**	**20**

20

28

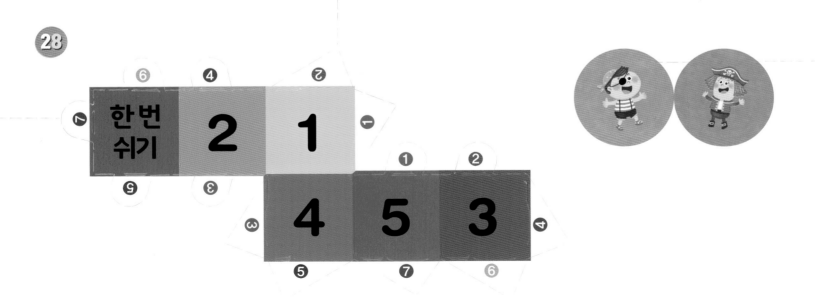

19	5	10	13	1
12	14	7	<u>9</u>	<u>8</u>
16	11	<u>6</u>	4	2
18	15	3	20	17

20

19

27

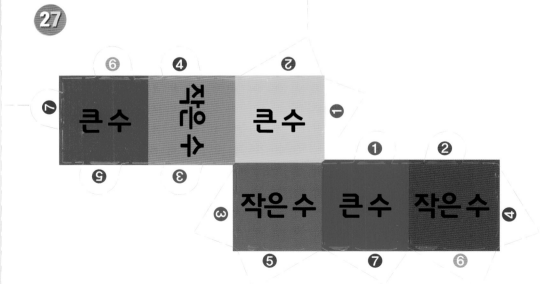

3	2	1
삼	이	일
6	5	4
육	오	사
9	8	7
구	팔	칠

1작은 수 ? 1큰 수 ?

11

10
십

1	2	3
일	이	삼
4	5	6
사	오	육
7	8	9
칠	팔	구

17

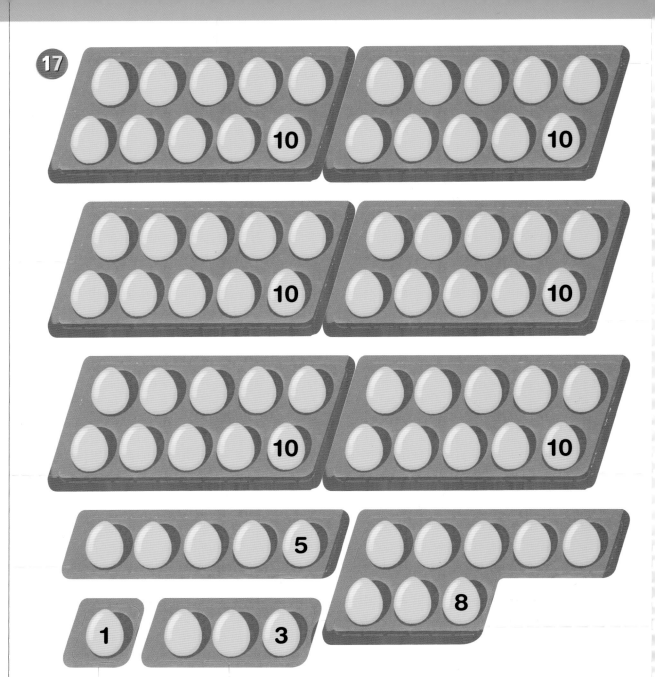

10　10
10　10
10　10
5　8
1　3

25

1작은 수	1큰 수
?	?

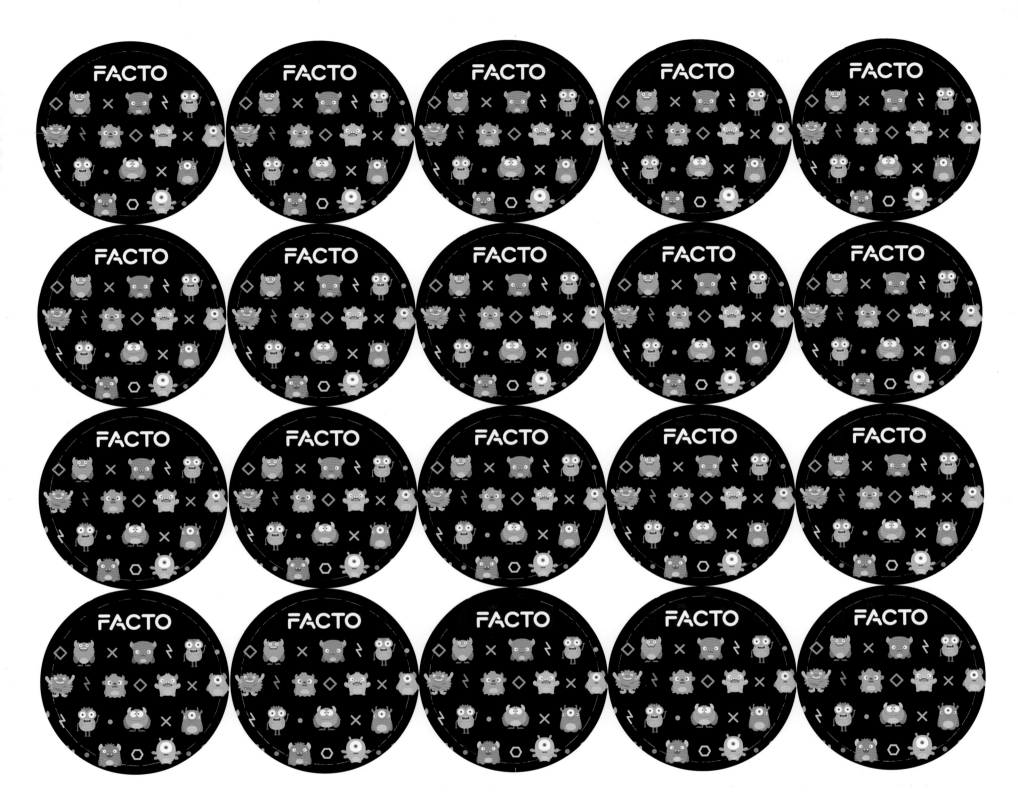

FACTO
FACTO
FACTO
FACTO
FACTO
FACTO
FACTO
FACTO
FACTO
FACTO
FACTO
FACTO
FACTO
FACTO
FACTO
FACTO
FACTO
FACTO
FACTO
FACTO

03

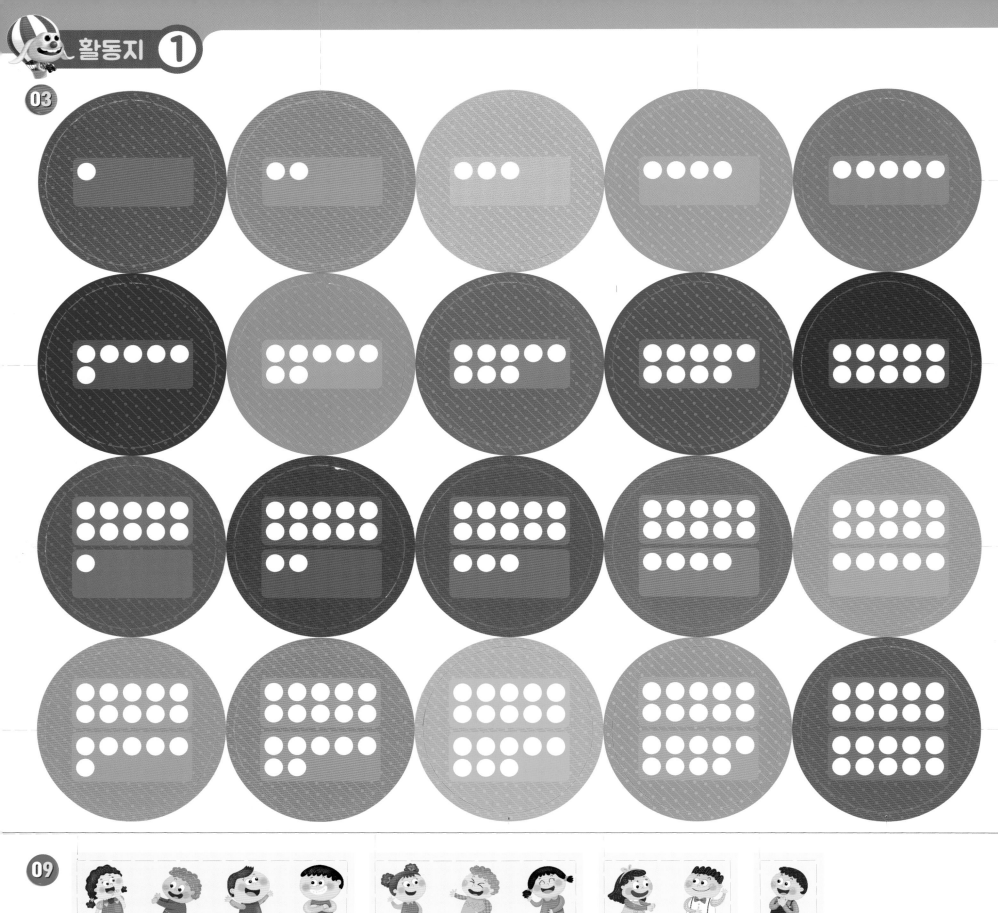

09

01

02

10

I 0	I 0	I 0
십	십	십
I 0	I 0	1 2 3 4 5
십	십	일 이 삼 사 오

11

I 0	I 0	I 0
십	십	십
I 0	I 0	6 7 8 9
십	십	육 칠 팔 구

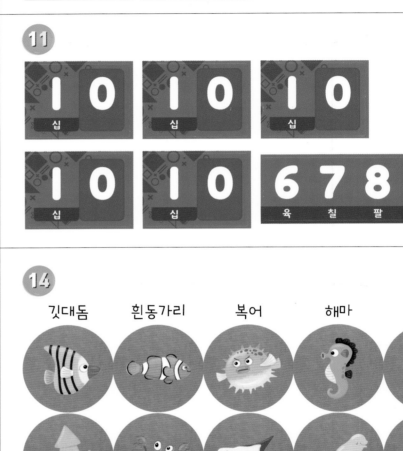

14

깃대돔	흰동가리	복어	해마	새우

오징어	꽃게	가오리	이라와디 돌고래	불가사리	조개

18